NICOLÁS CASTELL   ÓSCAR PANTOJA

BORGES

EL LABERINTO INFINITO

REY NARANJO
EDITORES

Las luces están apagadas.

Habrán salido a algún lado.

Vamos por la entrada de atrás.

Sos un miedoso.

¿Por qué? Está muy oscuro.

Prendé la luz.

¡Ya va!

Está abierta la puerta del sótano.

Tal vez tus hermanas la abrieron.

Pero, ¿para qué?

Yo qué sé.

Ya nadie baja acá, de niñas lo hacíamos.

¿Jugaban mucho?

Era nuestro universo, Georgie. Ayudame con esta puerta, no te quedés quieto como un troilo.

Ya voy, sabés que no veo casi nada.

Ves lo que querés ver. ¡Listo!

Estamos solos en la casa.

Y qué. ¿Acaso tenés algo en mente, Georgie?

Nada...

Vení, vamos arriba que hace frío.

¿Y qué vestido me pongo?

Así estás bella.

Es la fiesta más elegante del mes. Tengo que ponerme algo especial.

Poné atención a lo que digo…

Georgie… ¿Qué tenés hoy?

Nada, solo admiro la casa.

¿Por qué?

Ha llegado a ser mi refugio.

Sí. Y el de todos los que escribimos.

Es de nuestro grupo. Ahora, ¿qué me pongo?

Estás muy raro hoy. Mejor me voy a arreglar.

Prefeiría quedarme aquí.

¡Bahh!

Vamos caminando, Norah.

Es temprano aún, caminemos.

¡No! Caminando no.

¿Por qué te gusta tanto caminar?

No sé, Buenos Aires me gusta, estas calles son como patios viejos.

¿Te inspiran?

No. Vos me inspirás.

Georgie... Por favor.

Es cierto.

Creo que todo escritor tiene su musa, su universo para inspirarse.

Pero yo no quiero ser musa. Yo también escribo y no quiero inspirar a nadie.

Vale, vamos.

Sí, vamos, mejor.

Esta noche el rey es Ricardo Güiraldes.

Su novela se lo merece.

Norah, antes de entrar quiero decirte algo.

¿Qué?

Lo que ha pasado entre los dos... Este... Quiero que estés conmigo.

Georgie, estoy contigo. No tenemos algo, pero estoy contigo. Entremos ya, ¿querés?

¡Pero miren! Llegó el propio Borges y su protegida. Seguí, seguí, che Borges.

Acercáte. Estamos de lo mejor con Girondo.

¡La literatura es una excusa! Una bandida.

Lo que importa es vivir, gozar, sacar pecho.

Jajaja.

Jajaja.

Jajaja.

Jajaja.

Jajaja.

Ahora, la música.

¿Sabés lo que presiento, Norah?

¿Qué?

Que entre los dos va a ocurrir un incendio.

Salgamos de aquí.

Sí.

¡Ahhh!, pero y Borges... ¿no venís con él?

Él se devuelve solo.

1900

La biblioteca del padre

¿Cómo te parecen?

¡Son hermosos! Los vería por horas.

Georgie, vámonos ya.

No.

¿Qué es lo que decís?

Que no me quiero ir.

Georgie, me estás desobedeciendo.

Quiero quedarme aquí por siempre.

Vamos o recibirás un castigo.

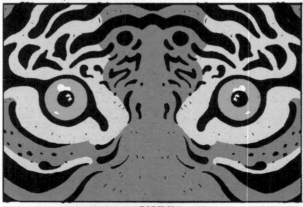

¡No! Los libros no. Está bien, vamos.

No me importa el castigo, me quedo.

¡Pero, qué decís! ¡Estás obsesionado! Si no vamos, te voy a quitar los libros.

¿Georgie, viste los tigres?

¡Sí! Son más que hermosos.

A mí me dan un poco de miedo.

Si te agarran, te matan. ¿Jugamos con Quilos y el Molino?

Sí. Mamá me preguntó quiénes eran.

¿Qué dijiste?

Que nuestros amigos..

Muy bien. Vamos a buscarlos.

Georgie, yo voy a encontrar a Molino.

Yo voy por Quilos.

¡Quilos!

¡Molino de Viento!

1954

Un singular atardecer

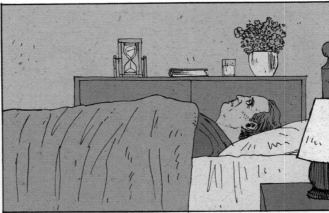

Joven Georgie, ya está tarde. ¿Ocurre algo?

No, Fani. Estoy bien, ya me levanto.

Recuerdo
las rayas de
los tigres.

Georgie, abrí la puerta o entro.

Madre, seguí, está abierto.

Pero, Georgie, ¡qué son esas fachas! Y a esta hora.

Madre, sentate. Todo tiene una explicación.

Pues tiene que ser una muy buena explicación.

No veo, madre. No veo. Llegó el día que sabíamos que iba a llegar.

Georgie, ¿estás asustado?

No, madre, no. Sabés que ya estaba preparado.

¿Querés quedarte aquí, hoy?

De ninguna manera, madre. Decile a Fani que me aliste todo. Vamos a salir a caminar.

Como tiene que ser, Georgie.

Georgie, de ahora en adelante seré tu bastón.

Gracias madre, en nuestra familia los ojos nos han sido esquivos. La noche nos ha llegado muy temprano a quedarse para siempre.

1927

La
herida
infinita

Hola, querida, estás bella.

Hola Georgie...

¿Caminamos un poco?

De acuerdo.

47

Me enamoré de él. Ya no hay marcha atrás. Adiós, Georgie.

¡Norah! Eres mi ángel, eres innumerable, infinita.

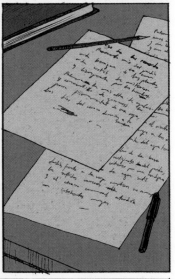

La poesía para mí se ha terminado.

1934

El hotel
en Adrogué

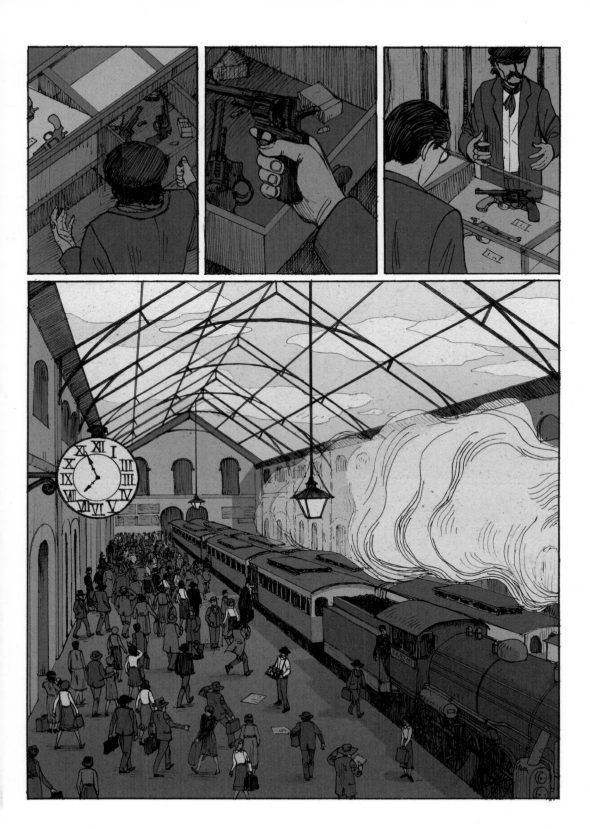

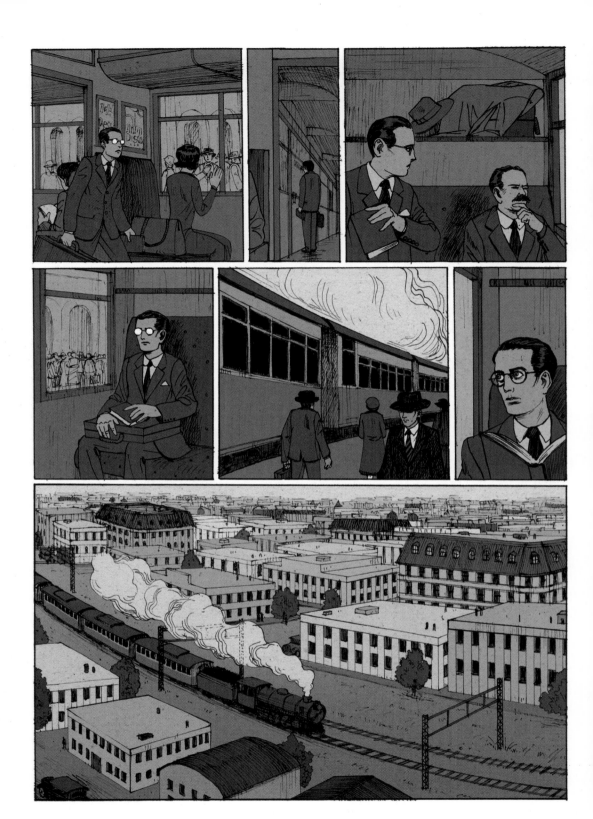

57

Buenos días, caballero.

Quiero una habitación, por favor.

Con gusto. ¿Viene de vacaciones? ¿De trabajo?

Solo a descansar.

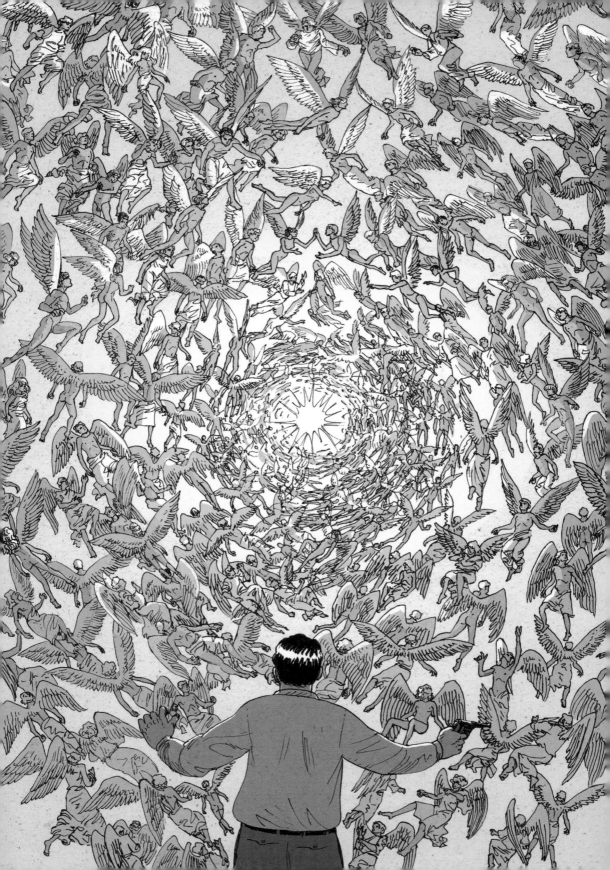

1934

El sueño

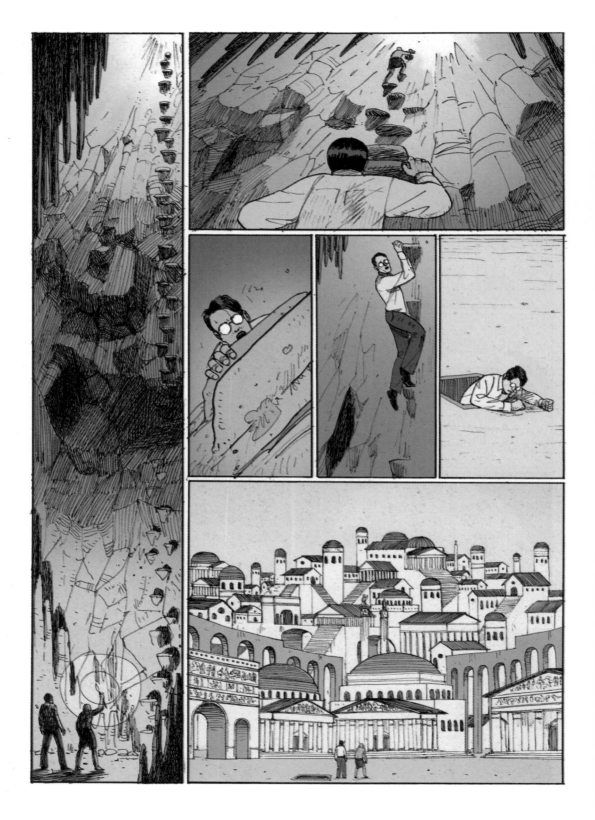

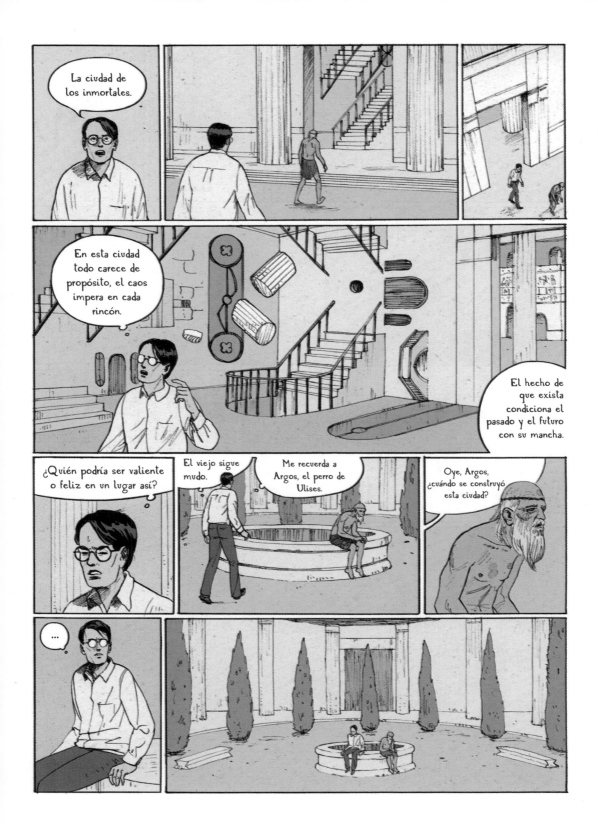

¿?

Todo es igual.

Algunos eruditos insinuaron que cada letra podría influir en la subsiguiente.

Y que el valor de MCV en la tercera línea de la página 23 no era el de la misma serie en la primera línea de la página 71.

Otros dicen que son meras criptografías.

Míralos, no se cansarán nunca.

Lo que anhelan es encontrar a Dios en una palabra.

Otros buscan un libro circular que es Dios. Lo cierto es que esta biblioteca es infinita de tantos libros que hay es difícil hallar los ejemplares útiles.

Aquí se pueden encontrar todas las posibilidades del lenguaje. Pero claro, solo podemos comprender una parte.

Los papeles donde caíste surgieron cuando intentaron eliminar los libros inútiles. Pero fue en vano.

Esto es el universo, un gesto así es insignificante.

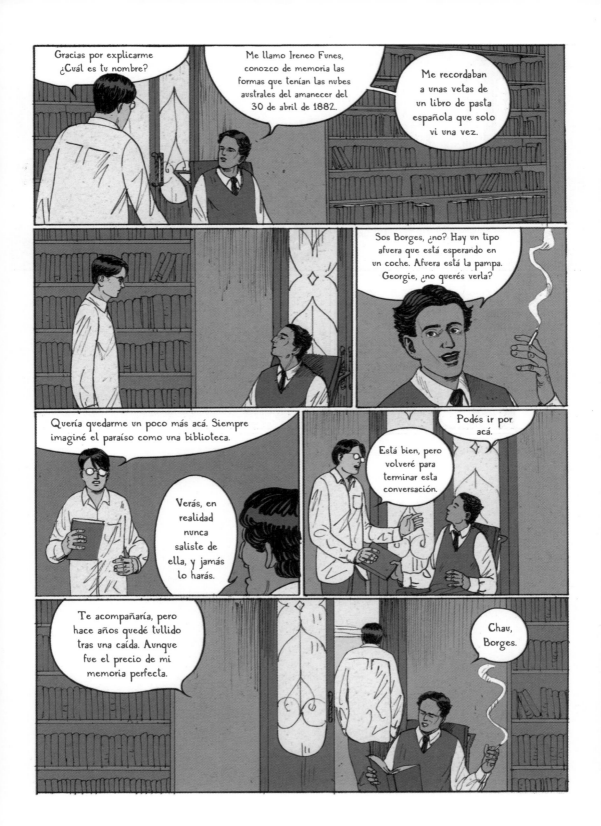

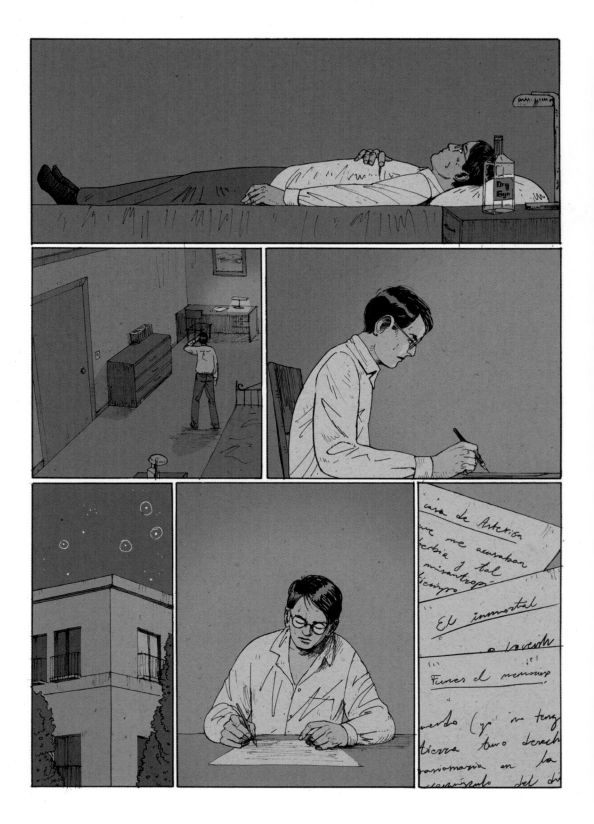

1939

La divina comedia

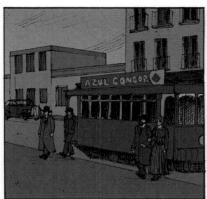

¡Trabaja como un animal! Tenemos que hacer algo, de lo contrario nos pondrá en evidencia.

Hablá vos con él, decile cómo son las cosas acá.

Eso mismo voy a hacer, aunque me pierda el comentario deportivo.

¿Me permitís un momento?

Desde luego.

Mirá, ché. No sé qué idea tendrás vos del trabajo, pero acá no se trabaja así.

Estás dándole como loco y si seguís así nos vas a hacer echar a todos.

BIBLIOTECA MIGUEL CANÉ

AZUL CONDOR

Buenas.

¿Pero cómo podes trabajar allá, Georgie? Es el infierno.

Te pagan una miseria.

Hoy me dijeron los compañeros que trabajara menos. Quince personas podrían hacer este trabajo, pero somos cincuenta. Se trabaja muy poco.

Hoy, en vez de clasificar cien libros como lo hacen ellos, clasifiqué cuatrocientos.

"Durante un par de horas diarias, mientras viajaba en tranvía, leía «La divina comedia» ayudado hasta el "Purgatorio"...

...Por esa época me dedicaba a leer y a escribir mis primeros relatos... Pero yo quiero solamente insistir sobre el hecho de que nadie tiene derecho a privarse de esa felicidad, la Comedia, de leerla de un modo ingenuo..."

"Al principio debemos leer el libro con fe de niño, abandonarnos a él; después nos acompañará hasta el fin."

"A mí me ha acompañado durante tantos años, y sé que apenas lo abra mañana encontraré cosas que no he encontrado hasta ahora."

1944

El universo

¡Cof, cof!

¡Perdón!

No hay problema.

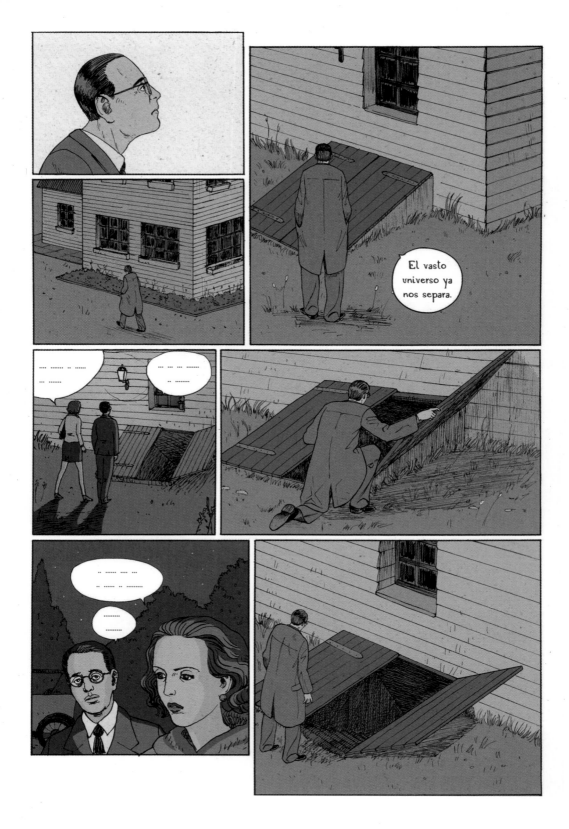

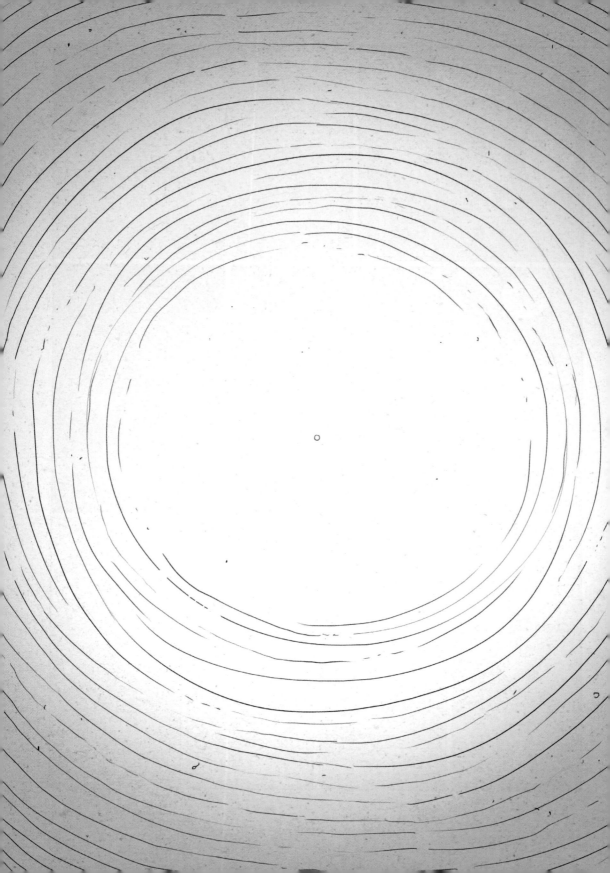

Ese día los obreros estaban cambiando un letrero de cigarrillos rubios.

¿Es ella?

Sí.

Dale la eternidad, eternizala como vos sabés. Salvate y salvala. Adorala por siempre. Escribí su historia, esa historia de amor fallido, pero cifrada.

ANTIGÜEDADES

LIBROS, MUEBL...
segunda mano

¡En qué le puedo ayudar caballero?

Ando buscando algo que me...

1960

Las abuelas

"Grandmother, do you know the Bible by heart?"
≈
"Abuela, ¿te sabes la Biblia de memoria?"

"I learned it all when I was a child."
≈
"La aprendí toda cuando era una niña.

"Georgie, I'll get some sleep."
≈
"Georgie, dormiré un poco.

Abuela Leonor, se quedó dormida la abuela Fanny, me leía una historia.

Vení y te cuento otra historia sobre nuestros antepasados.

Ya viene, oigo sus pisadas.

You're soaked. Where do you come from?*
≈
*Estás empapado. ¿De dónde venís?

De la pampa, donde me han matado en combate. ¿Quieres mi cuchillo?

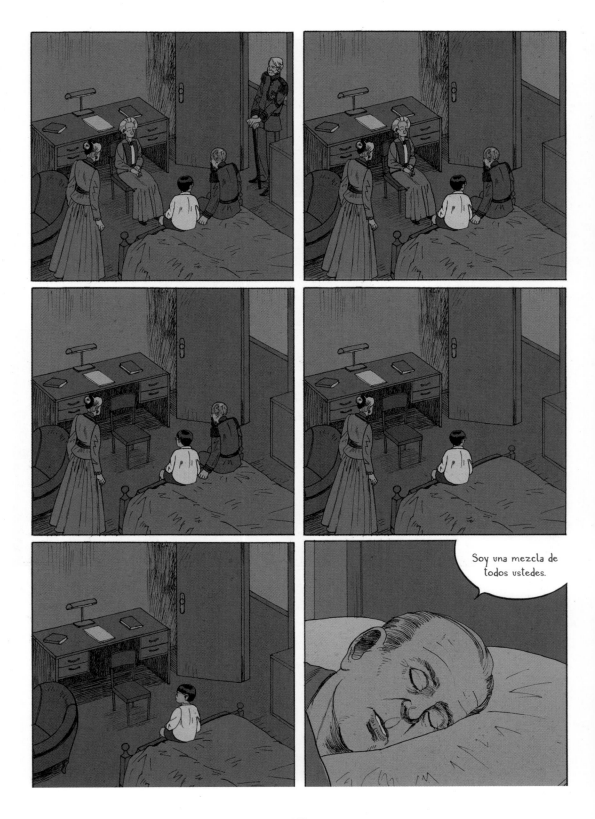

Soy una mezcla de todos ustedes.

¡Georgie! Voy a seguir!

¡Por Dios! Qué manera de dormir.

Madre, anoche soñé a las abuelas. A la abuela Fanny y a la abuela Leonor.

Me leían libros y me contaban historias, como lo hacían cuando vivían.

¿Y te decían algo especial?

Llamaban a los abuelos, los coroneles Suárez y Borges.

Entonces, soñaste a toda la familia.

Tal parece, madre.

Ya está tarde. Vete a asear que no tengo todo el día para esperarte y desayunar.

Enseguida voy, madre.

Madre, ¿qué diferencia puede haber entre recordar un sueño y recordar el pasado?

No sé.

Tal vez ninguna, madre, tal vez ninguna.

En ese caso anoche estuve de nuevo con mis abuelas que tanto me enseñaron. ¡Qué afortunado soy!

1960

La biblioteca

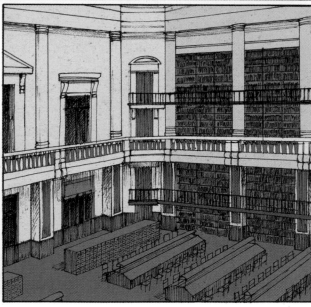

Señor director, buenos días.

Buenos días. ¿Va lleno el carrito?

Sí, volúmenes del siglo XVIII que fueron encuadernados.

¿Y los libros de literatura alemana ya fueron enviados a encuadernar?

Sí, señor.

¿Le puedo ayudar en algo?

No, perdé cuidado, yo estoy bien.

Estoy ansiosa con esto que vamos a empezar.

A mí me emociona mucho.

No se levanten. Ya no estamos en la universidad y esas frivolidades ya no existen acá.

Chicos, como les dije antes, quiero proponerles estudiar, ya por nuestra cuenta, el bello universo de la lengua inglesa.

Tenemos este despacho para nosotros.

Fue de uno de los anteriores directores de la biblioteca, Paul Groussac, también ciego, quien nos ha abierto el camino. Vamos a empezar por los orígenes, ¿les parece?

Sí.

Perfecto.

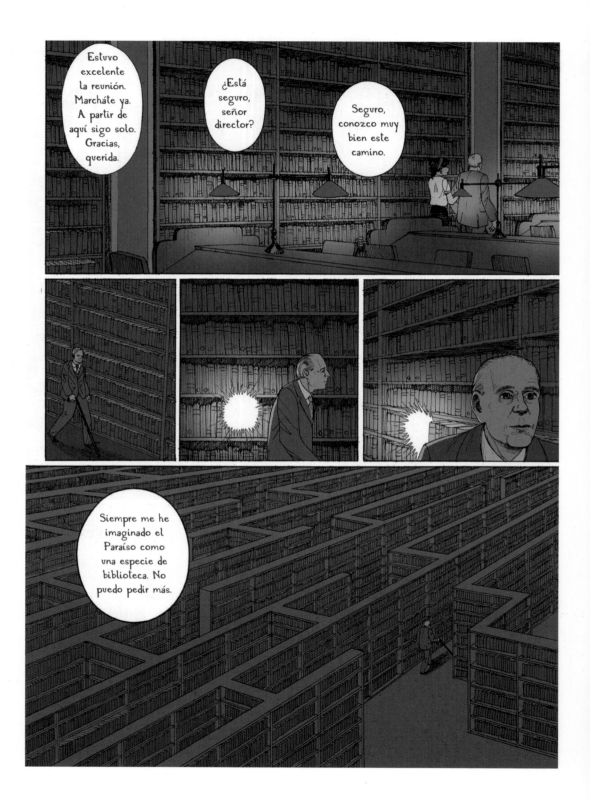

Madre,
¿estás ahí?

Sí,
Georgie.

Vamos a alistarnos
para salir.

Sí,
madre.

Madre, antes de
salir quiero dictarte
un poema.

¿Ya
sabes
bien el
tema?

No puedo
quitármelo de
la cabeza.

Entonces
empecemos.

Sé que
te va a
gustar.

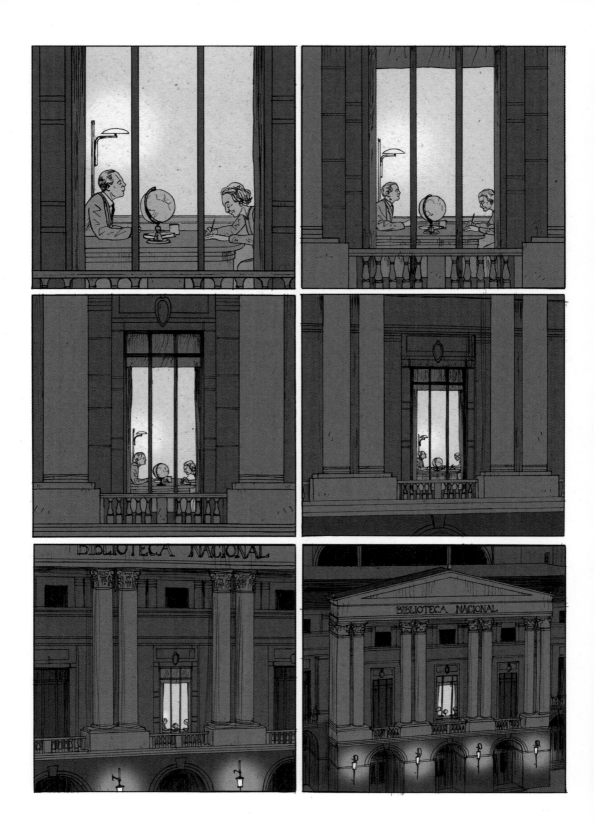

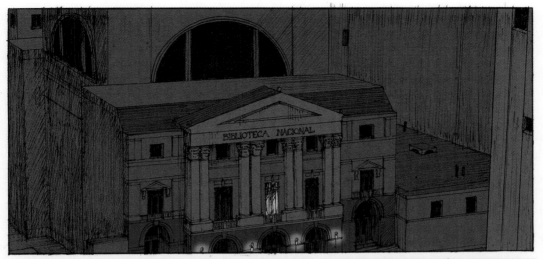

Nicolás Castell

ILUSTRADOR

Nací en Buenos Aires, pero desde pequeño vivo en Granada, allí hice mis estudios de Bellas Artes y he podido trabajar como ilustrador para cómics, libros infantiles, grupos de música, editoriales... El primer contacto con Borges fue a los 17 años, compré la antología de cuentos de *Ficciones* y posteriormente mi tío Roberto me regaló *El Aleph*, recuerdo que al año siguiente ahorré para comprarme una edición de cuatro tomos con su obra completa. Sus mundos e ideas siempre me despertaron una profunda admiración y fascinación.

Este trabajo no podría haberlo hecho sin el apoyo de mis padres, mi tía Nieves, mi amigo Vílchez, y de mi tío Roberto; os llevo dentro con una sonrisa, mil gracias.

Óscar Pantoja

ESCRITOR

Soy escritor, autor de los guiones de las novelas gráficas *Gabo, memorias de una vida gráfica, Rulfo* y *Tumaco*, editadas por Rey Naranjo. He colaborado en diversos proyectos editoriales y audiovisuales. En 2001, gracias a mi novela *El hijo*, gané el Premio Nacional de Novela Alejo Carpentier. Tengo tres novelas finalizadas, y siempre muchos proyectos en mente.

Agradezco a mi familia y amigos por el apoyo incondicional durante estos años. Especialmente a Paula, quien me acompañó durante este proceso.

Pantoja, Oscar, 1971-
    Borges : el laberinto infinito / Oscar Pantoja ; ilustraciones
Nicolás Castell. -- Bogotá : Rey Naranjo Editores, 2017.
    156 páginas : ilustraciones ; 16 cm. -- (PNK)
    1. Borges, Jorge Luis, 1899-1986 - Tiras cómicas, historietas,
etc. 2. Autores argentinos - Tiras cómicas, historietas, etc. -
Biografías I. Castell, Nicolás, ilustrador II. Tít. III. Serie.
928.6 cd 21 ed.
A1582284

    CEP-Banco de la República-Biblioteca Luis Ángel Arango

REY NARANJO EDITORES
www.reynaranjo.net

Borges: El laberinto infinito
© 2017

© Rey Naranjo Editores
© Nicolás Castell
© Óscar Pantoja

Dirección editorial: Carolina Rey • John Naranjo
Dirección de diseño: Raúl Zea
Diseño editorial: Daniela Nieves

Impreso en Colombia por Editorial Delfín S.A.S.

ISBN 978-958-8969-49-7